오늘도 나의 이야기가 있다

오늘도 나의 이야기가 있다

발　행 | 2023년 12월 18일
저　자 | 조명주
그　림 | 조영주 (큰언니 작품)
펴낸이 | 한건희
펴낸곳 | 주식회사 부크크
출판사등록 | 2014.07.15.(제2014-16호)
주　소 | 서울특별시 금천구 가산디지털1로 119 SK트윈타워 A동 305호
전　화 | 1670-8316
이메일 | info@bookk.co.kr

ISBN | 979-11-410-6053-4

www.bookk.co.kr

오늘도 나의 이야기가 있다

조명주 지음

CONTENT

제2부 지금 여기, 이야기가 있는 하루

작가의 말

 글을 쓰고 있어요.
- 아, 그래요?

글을 쓰고 싶어요.
- 잘 쓸 수 있어요.

글을 써보려고 해.
- 언제나 응원할게!

아무도 말리지 않았습니다.
토를 달지 않았습니다.
감사합니다.
덕분에
한 권을 엮을 수 있었습니다.

제가 알고 있는 모든 분들,
저와 인연이 있었던 많은 분들,
행복한 '오늘'이 되길 바랍니다.

제1부 민들레 꽃씨 되어

설렘이 있는 하루

내 별명은 '만능키'래요

고창, 청보리밭에서

26년간 근무하던 학원을 퇴사하고 많은 사람의 로망인 '유럽 여행' 에 발을 담가 보았다. 출발 전부터 각인 된 악명 높은 소매치기는 누군가의 '썰'로 끝났고, 우리의 여행은 만족스럽게 마무리되었다.

'여행의 맛'을 알게 된 첫 유럽 여행. 하지만 스페인에 다녀오자마자 코로나19라는 팬데믹이 찾아왔다. 앞으로의 계획에 차질을 빚으니 갑자기 할 일을 잃었다. 할 수 있는 일이 없다는 생각에 해가 떠도 일어나기가 싫고, 낮엔 군것질만 늘고, 또 밤엔 넷플릭스에 빠져 드라마와 영화를 보느라 밤을 꼬박 새우기 일쑤였다. 본의 아닌 백수 생활에 접어든지 두 달째, 평소 잘 보지도 않았던 아파트 1층 게시판에 붙어 있는 안내문이 눈에 띄었다.

'키오스크 강사 양성 과정 모집'이었다. 사회적 거리두기가 한창일 때라 모집 인원은 12명으로 제한된다는 것. 그리고 간단한 대면 면접을 보고 결정하겠다는 내용이었다. 코로나로 인해 아무것도 할 수 없는 무기력 상태였는데 마치 동굴에서 헤매다가 입구를 찾은 느낌이라고 할까. 한걸음에 달려가 구직신청서부터 작성하고 어르신들에게 문해 교육과 검정고시 과목을 지도해 봤다는 경험까지 곁들이며 나라는 사람을 잔뜩 어필하며 돌아왔다. 이렇게 시작한 스마트폰 강사 활동은 올해 햇수로 삼 년째를 맞고 있다. 근 30년을 얽매여 직장생활을 해서 그런지 스마트폰 강사로서의 활동은 최상의 활동으로 다가왔다. 틈틈이 자기 계발을 하면서 또 평일 낮 시간에 친구들과 점심 약속을 잡을 수도 있고, 가끔 훌쩍 떠날 수도 있어 내가 즐기며 할 수 있는 일이니깐 말이다.

스마트폰 교육 장소가 도서관일 때면 아침부터 발걸음이 가볍다. 나의 놀이터인 도서관에 갈 때면 '생텍쥐페리의 어린 왕자' 대사가 생각난다.

"가령 네가 오후 네 시에 온다면, 나는 세 시부터 행복해질 거야."

도서관은 이런 곳이다. 한두 번 갔다 온 도서관이든 처음 방문하는 작은 도서관이든 나에게 도서관은 매일매일 커피머신을 타고 흐르는 커피 향 같은 존재이니깐.

강사로서 나는 스마트폰 교육을 받으러 오는 지역 어르신들에게 스마트폰 사용법을 알려드리고, 도서관에서 진행하는 프로그램 신청을 도와드린다. 또, 도서 상호대차 이용법이나 지하철 역사 안에 있는 스마트도서관에 관해 소개할 때도 있다. 한번은 스마트폰 앱을 활용해 손주를 위한 생일 카드 만드는 법을 알려드리기도 하고, 걸을 때 들을 수 있도록 라디오 어플을 설치해 드렸더니 함박웃음을 지으셨다. '손자, 손녀들과 소통의 도구로 쓸 수 있다니 더 열심히 가르쳐 드려야겠어.' 내 스스로도 마음을 다지며 교육을 하게 된다. 도서관 사서나 직원들이 있음에도 불구하고 나에게 물어보는 게 자연스러우신 것 같다. 1대 1 스마트폰 교육이라 내적 친밀감이 형성되어 그럴 것이다.

도서관에서 서너 번 만난 70대 후반 교육생은 이런 나에게 청포도 사탕을 쥐어주며 '만능키네, 만능키!'라는 별명을 붙여주셨다. 물어보시는 것마다 척척 대답해 드리고 천천히 알기 쉽게 반복해서 설명해드리니 너무 좋으셨나 보다. 교육 나갈 때마다 '만능키'라는 말이 떠올라 나도 모르게 입꼬리가 올라가는 걸 느낀다.

어느덧 내 나이도 예순이라는 숫자를 넘겼다. 하지만 여전히 칭찬받는 게 좋고, '나의 어른들'에게 도움을 줄 수 있음에 감사하다. 은퇴 후에도 '민들레 꽃씨' 같은 일을 할 수 있어서 행복할 뿐.

유난히 하늘이 맑은 날

마침내 합격한 K씨

노력의 결실을 맺다

 k씨가 마침내 검정고시 고졸 학력 시험에 합격했다. 그녀는 1962년생. 그러니깐 올해 예순한 살이다. k씨를 처음 만난 건 작년 10월경이다. 같은 해 4월에 초등학교 검정고시에, 8월엔 중학교 검정고시에 합격한 상태였다. 초고속 합격이라니 그녀의 의지는 대단했다. 마지막 시험인 고졸 검정고시를 앞두고 k씨는 처음으로 자신 없는 모습을 보였다. 그녀의 발목을 잡은 건 다름 아닌 국어 과목이다. 글을 읽는 게 어려우니 문법은 물론 사회고 도덕이고 지문을 읽는 모든 문제가 어려울 수밖에 없었다. 불합격 시험지와 함께 다시 한번 나를 찾아왔다. 당시 나는 은퇴 후 스마트폰 강사로 활동하느라 이곳저곳 바삐 움직이고 있었다.

 나와 k씨는 바쁜 시간을 쪼개어 국어에 발목 잡히지 않는 최고의 방법을 고민해보았다. 목표가 생기고 전략을 세우니 마음만은 'k씨, 고졸 합격'이다. 시작이 순조롭지는 않았다. 국어는 하루아침에 점수가 나올 수 있는 과목이 아니며 어른들에게 '어휘력과 문해력을 키우도록 책을 읽으세요!'라는 조언은 강사인 나도 쉽게 건넬 수 없는 말이다.

 그럼에도 포기하지 않던 k씨를 보니 어떻게든 합격의 맛을 안겨주고 싶었다. 정해진 시간보다 한 시간씩 늘려 점수가 나올 수 있는 사회, 도덕 그리고 어쩌면 더 쉬울 수 있는 수학까지 '족집게 강사'로 빙의(?)해 예상 문제를 뽑아주었다. 약 5개월간의 지도 끝에 마침내 시험 날.

아침부터 조마조마했던 기억이 떠오른다.

아쉽게도 결과는 7과목 중 세 과목인 국어, 영어, 과학에서 60점 이하의 점수라 통과하지 못했다. 서글퍼서 밤새 엄청 울었다는 얘기에 마음이 아팠다. 기초부족, 시간 부족에 비해 기대를 많이 했던 것도 있다. 7과목을 공부하기엔 시간이 너무 부족하였던 것 같다. 평일엔 슈퍼마켓 운영을 해왔으니 말이다. 새벽에 일어나 식구들 식사 준비, 여덟 시면 가게 오픈 준비, 낮에는 손님이 드나드니 책을 펴 볼 수도 없었고, 저녁 아홉 시에 마감하고 열두 시쯤 공부를 시작한다니 몸이 열 개라도 모자랄 판이다. 이런 조건에도 공부를 포기하지 않고 도전한 것 자체만으로도 박수를 쳐 주고 싶다.

검정고시 '고졸 졸업 인정'이 예순한 살에게는 결코 쉬운 건 아니다. 다시 마음을 잡고 시작, 곧 있을 두 번째 시험까지는 두 달 정도의 시간이 있었다.

기본에 충실할 것, 그리고 요점 정리를 다시 한번 점검한 후 예상 문제와 기출문제를 풀자고 설명하였고 7과목 평균 60점은 되어야 하니 전략을 세워 공부하기로 했다. 한국사 과목은 1회 시험에서 60점

이상이라 볼 필요는 없었지만 조금 더 높은 점수를 얻기 위해 다시 보는 걸로 유도하였다. 영어 과목에서 60점 받기가 지금으로서는 불가능하기 때문이었다.

드디어

검정고시 시험 날.

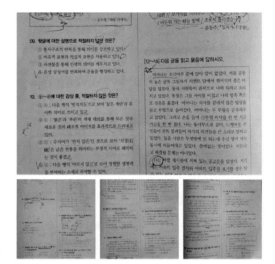

노력의 흔적

시험이 끝나자마자 푼 시험지를 찍어 보내왔다.

결과는 알 수 없으니 발표가 날 때까지 기다려본다.

2023년 9월 1일 오전 10시

교육청 홈페이지에 조심스레 수강생 이름과 주민등록번호 뒤 세 자리를 입력해본다. '간절히 원하면 이루어진다.'라고 했던가

"김＊＊은 2023년 제2회 검정고시에 합격하셨습니다."

"선생님, 넘 감사해요!
저 이젠 바리스타 자격증 따고 영어 공부만 할래요."

흥분을 가라앉히지 못하는 K씨 목소리에 나 또한 울컥했다.

모든 절망감과 주변의 걱정 어린 압박을 극복하고
당당히 검정고시 과정을 이뤄낸 k씨에게
박수를 보낸다.

나의 제자, G씨

이른 아침,
강*씨로부터 전화가 온다.

선생님 덕분에 고등학교를 무사히 졸업했다며
따뜻한 밥 한 끼 대접한다는 것이다.

졸업만큼은 바로 옆에서 축하해주고 싶은 마음과
허리 협착증으로 고생하는 걸 알기에
'집밥'을 준비했다는 말에 걱정스러운 마음이 교차한다.

식탁 위에는 방금 막 삶아 김이 모락모락 나는 수육과
막 무친 듯한 겉절이가 침샘을 자극하였다.

G씨의 마음이 담긴 '집밥'

강*씨는 계장이 맛있게 됐다며
접시를 내 앞으로 계속 밀어놓는다.

세월이 흘러도

변하지 않는 따뜻한 마음이 전해 와 코끝이 찡했다.
공부하는 것이 평생소원이었던 1953년생 강*씨.

문해 교육만 터득하기엔
배움에 대한 열의가 대단했다.

분식집을 하니 날마다 가게에서 김밥 말고 떡볶이 만들고. 그러면서
틈틈이 공부하고 집에선 손주들까지 챙긴다. (아이들 방학 때는 학원으로
두 손주를 데리고 왔다. 지금은 그 손주들도 어느새 커서 대학생이 되었다.)

천*씨는 결석 한 번 안 했다.
손가락 마디마디가 아파 침을 맞아가며 숙제하고, 일기도 쓰고,
검정고시로 초등과정에 합격하면 중학교, 고등학교,
그리고 대학교도 가고 싶다는 의지를 보였다.

 방정식부터 함수, 피타고라스 정리까지 다행히 평균 60점을 넘어
중학교 과정까지 무난히 마쳤지만 고등학교는 아무래도 고민이 됐다.
총 7과목을 준비해야 하고 공부할 내용도 만만치 않았기 때문이다.

고등학교는 동기들과 학교생활도 해보고 공부 외에 다양한 활동도 할 수 있으니 주부학교가 낫다고 설득을 했다. 망설임 끝에 2년제 주부학교에 등록. 학교 다니며 건강 문제며 집안일 등 우여곡절이 많았지만 그래도 고등학교 3학년까지도 잘 마쳤다.

올해 일흔 살, 요즘은 영어 공부한다며 소식을 종종 전한다.
대단하고, 장한 천*씨.
늘 응원하고, 항상 건강하시길.

마음아 천천히
천천히 걸어라.
내 영혼이
길을
잃지 않도록.

Ah, heart, slowly,
slowly, walk.
Lest my soul lose
its way.

「걷는 독서(박노해)」중에서

H씨의 끈기는 아무도 못 말려

올해 사회복지학과 2학년인 H씨.
이제 한 학기만 마치면 대학 졸업생이 된다.
H씨와 인연이 닿은 것은 2018년 2월이었다.

 내가 근무하는 학원에서는 주부학교 입학생들을 대상으로 낯선 중학교 생활을 돕고자 예비반을 개설하였다. 초등학교 졸업장만 갖고 있거나 아니면 일 년에 두 번 치르는 검정고시에 합격한 학생들을 대상으로 모집한 반이었다. 대부분 나이가 있으신 분들이었다.

 성별, 나이 상관없이 뒤늦게 배움의 문을 두드리면 올 수 있는 반.
나는 문해 교육과 검정고시 과목을 지도하고 있었고 또 연계하여 중.고등학교 교과 과정을 따라갈 수 있도록 입학 예비반을 맡고 있었다.

 일제 강점기와 6.25를 겪느라 배움의 기회를 놓치신 분들,
 그 옛날, 여자라는 이름 때문에 학교 문턱에도 못 가본 분들,
 맏이라는 타이틀 때문에 모든 걸 포기해야 했던 분들...

정말 다양한 사정으로 인하여 공부를 시작하지 못했거나 중도에 포기했던 분들이 같은 시대를 살면서도 많았던 것이다. H씨도 그중 한 명이었다. 항상 마음 한구석에 뭔가 응어리가 있다고 털어놓으며 이런 배움의 터전이 있는 줄 전혀 몰랐다며 놀라움을 금치 못했다.

우연히 잘못 내려 지하도에서 헤매다가 광고판에 커다랗게 쓰여 있는 '주부학교' 글씨를 보고 무작정 찾아왔다는 것이다. H씨는 초등학교 졸업한 지 거의 40년이 넘어 공부할 수 있을지 모르겠다며, 하지만 중학교는 꼭 가고 싶다고 굳은 의지를 보였다. 입학하기까지 두 달 정도의 과정이지만 손을 꼭 잡아주며,

"마음먹기 나름이에요"

용기를 주며 격려의 말을 건넸다.

학교생활을 하는데 국어, 수학, 영어 등 어렵지 않은 과목이 어디 있을까. 오랜 세월 동안 연필을 놓고 살았는데... 그럼에도 불구하고 H씨는 끈기도 있고 공부 욕심도 많았다. 중간고사, 기말고사, 학교 과제물 등 모르는 것이 있으면 짧은 인연임에도 나를 찾아와 묻고, 도움을 요청하기도 하였다.

공부뿐만 아니라 학교 다니면서 단체 생활의 어려움도, 개인적인 고민도 털어놓았다. 틈틈이 주말에 아르바이트도 하면서 공부한다고 하니 참 대단한 H씨였다. 학생 대부분이 6,70대 분들이라 수학과 영어는 포기하다시피 공부하는데 H씨는 뒤늦게 공부하는 거니 뭐든지 열심히 배우고 싶다고 하였다. 수학 문제를 들고 와 풀어달라고 하지를 않나, 글쓰기 숙제는 정말 어려워 못하겠다는 등 가끔씩 귀여운 푸념도 해가면서 중학교는 물론 고등학교까지 졸업을 한 것이다. 졸업식은 그야말로 눈물바다였다. 이제 4년을 쉬지 않고 달려왔으니 하고 싶은 거 하라고 했더니

"선생님, 저 대학교 갈 거예요. 하다 보니 공부는 끝이 없네요."
중학교만 졸업하면 원이 없겠다던 H씨의 입에서 나온 말이었다.

화사하게 피다

　사회복지학과에 입학한 H씨는 그새 컴퓨터 관련 ITQ 자격증도 따고 노인 인지케어강사 자격증 등 정말 수없이 도전하고 있다. 올 여름 방학에 사회복지사 실습까지 마쳤으니 졸업과 동시에 사회복지사 자격증도 생길 것이다.

이제는 너무 무리하지 말라고 잔소리를 하는 게 내 일이 돼 버렸다.
그 끈기의 힘은 어디서 나오는 걸까.

"졸업하면 또 편입할 거예요?"
"이젠 정말 공부 그만하고 놀래요, 선생님."
지난 6년을 얼마나 노력했는지 알기에 맞장구를 쳤다.
하지만 어느 날 갑자기 '카톡, 카톡' 울릴지도 모른다.
뭔가에 도전했다고.

H씨의 끈기와 열정은 지금도 진행 중이니까.

지난 이야기가 되어버린 나의 민들레 꽃씨 Ⅰ

희망을 주는 등대

문해 교육과 검정고시 과목을 오랫동안 지도하면서 만난 학생들은 다양한 이야기를 갖고 있었다.

1991년 9월. 학원에서 처음 맡은 반은 그야말로 왕 기초 한글반이었다. 학생 수는 오십 명이 조금 넘었고, 연령대 또한 오십 대 후반부터 육칠십 대까지 다양했다. 건강상의 이유로 혹은 6.25 전쟁으로. 아님,

생활고로. 그리고 "여자는 배우면 안 돼!" 했던 남녀 차별로 인해 학교의 문턱을 넘지 못하신 분들이 상당히 많았다.

필기 시간, 교실 한 바퀴를 돌며 학생들이 연필을 제대로 잡고 있는지 확인한다. 한글은 바로 쓰고 있는지 둘러보다 보면 그림 그리듯이 쓰는 학생들이 눈에 띄기도 한다. 한명 한명 바로잡아주면 뒷사람이든 옆사람이든 "나는 안 봐주고, 저이만 예뻐하네." 퉁명스러운 목소리가 날아와 나를 당황하게 만들기도 했다. 어느 날은 "내 자리인데 왜 거기 앉느냐."며 어린아이처럼 다투시는 분, 궂은일로 몸이 피곤하신지 거의 졸다시피 앉아 있다 가시는 분들도 여럿 계셨다.

토닥토닥

첫 수업 날, 이런 크고 작은 일들이 죄 낯설어

'내가 잘 할 수 있을까?'

'이 일을 계속할 수 있을까?'

많은 긴장과 걱정이 가득했던 것 같다.

그럼에도 26년간 근무하게 된 이유는 가르치면 가르칠수록 학생들의 해맑은 수다 소리가 전이되어 난 '행복한 사람'이 되어갔다.

　첫 제자 중 한 명은 일흔 살이 훌쩍 넘으셨는데, 태어나 처음으로 선생님이 생겼다며 뛸 듯이 좋아하셨다. 따님이 "엄마! 연필은 앞으로 내가 깎아줄게." 응원 한마디 해줬다고 행복해하시던 학생의 표정이 아직도 선명하다.

지난 이야기가 되어버린 나의 민들레 꽃씨 II

언제나 아침은 밝아온다.

오랜 기간 학원에 근무하며 학생들과의 웃픈 추억들이 기억 속에 아직도 맴돈다. 이제는 우리들만의 지난 이야기가 되어버린, 그때 그 시절을 하나씩 떠올려 본다.

어느 해, 학원의 '개원기념식' 날.
아침부터 학생 한 명이 분주하게 나를 찾는다.
"선생님! 식전 행사는 식사 전에 하는 걸 텐데
그럼, 아침은 몇 시에 주나요?"

당황스러운 질문이었지만, 나는 침착하게 질문에 답을 한다.
"식전 행사는 식사 전이 아니라, 기념행사 전에 하는 행사라고 해요."

학생들을 이해하고 친해지니 학생들도 내게 스스럼없이 얘기하고 다가와 준다.

한 학생의 사연은 이렇다.

주민등록등본을 떼러 동사무소 갈 일이 생겼다. 읽고 쓸 줄 모른다고 얘기하기엔 자존심이 허락하지 않았다. 애써 괜찮은 척해도 마음에 상처를 입을까 멀쩡한 오른손에 하얀 붕대를 칭칭 두르고 갔다.

우리말을 읽고 쓸 수 없어 받은 고통은 이루 말할 수 없었단다. 한명 한명의 사연을 들을수록 나의 마음가짐은 더욱 단단해졌다. 눈높이에 맞춰 가르쳐드려 한 분이라도 더 많은 글을 읽고, 더 많이 쓸 수 있기를 바라며 말이다.

에키네시아 꽃,
"영원한 행복"

본인 이름을 못써 한이 맺혔다는 예순여덟 살 L씨도 떠오른다.

학원 문 앞까지 왔다가 되돌아가기를 수없이 반복하다가 용기를 냈다.
막상 교실에 들어오니 못 배운 것이 부끄러운 게 아니란 걸 깨달았다.

3년간 배움의 끈을 놓지 않았고 누구보다 노력을 많이 하셨다. 마지
막 졸업식 날, 내 손을 꼬옥 잡아주셨다.

"선생님! 저의 은인이세요.
이젠 자신 있게 간판도 읽고, 여기저기 혼자 찾아갈 수도 있어요."

기억에 남는 사연이 하나 더 있다.

맡은 반 학생들이 검정고시를 치르게 되었다.
응시원서와 검정고시 공고 안내문을 한 장씩 나누어 주었다.

공고일: 00년 00월 00일
원서 교부 및 접수
제출서류: - 응시원서 1부
- 탈모 사진 2매
- 본인의 해당 최종 학력 증명서 1부

안내문을 받아 간 학생으로부터 전화가 온 것이다. 탈모 사진이라니 이게 말이 되냐고. 목소리는 이미 한 옥타브가 넘었다. 탈모 사진을 엉뚱하게 이해한 것이다. (다행히 지금은 '모자를 쓰지 않은 상반신. 3.5cm×4.5cm로 제출서류 안내문이 바뀌었다)

퇴사한 지금도 가끔, 학생들이 연락을 해 온다.
활기차고 밝은 목소리가 기분 좋은 여운으로 남는다.

'난 앞으로도 민들레 꽃씨 같은 존재가 되어야겠다.'

하얀 솜털의 꽃씨가
바람 타고 날아가
여기저기
꽃을 피울 수 있도록...

〈 민들레 꽃씨 되어 〉

지난 이야기가 되어버린 나의 민들레 꽃씨 Ⅲ

튤립, "영원한 애정, 수줍은 사랑"

오랜만에 친구 넷이 모여 밥을 먹었다. 살아가는 얘기부터 반려견 얘기, 곧 다가올 김장 얘기 등 넷의 수다는 고무줄처럼 늘어나 멈출 줄 몰랐다. 그중 '주부'라는 본분(?)대로 살림 얘기에 박차를 가했다. 자연스럽게 시작된 냉장고 속 이야기. '유통기한이냐, 소비기한이냐'를 두고 한 친구는 "유통기한 때문에 버려지는 식품이 얼마나 많은지 알아?"라며 설득력 있는 열변을 토했다. (2023년 1월부터 소비기한 표시제로 바뀐다는 정보까지 곁들이며 말이다.)

'유통기한'이란 말에 꽂혀 친구의 목소리는 점점 희미해져 갔고, 나의 옛 기억이 스멀스멀 올라왔다.

검정고시를 가르쳤을 때 만난 P씨가 생각났기 때문이다. P씨는 입가에 매력적인 보조개가 있어 눈에 띄던 학생이었다. 낯가림이 살짝 있음에도 반 친구들을 배려하는 마음은 누구보다 컸다. 일주일에 두세 번은 계란과 고구마를 삶아와 같은 반 학생들과 나눠 먹으며 웃음꽃을 피웠던 분이었다.

아마 첫 추석 명절이었던 것 같다. 수업이 끝나도 책가방만 만지작 만지작. 학생들이 다 나가고 나자 쇼핑백을 수줍게 건네주셨다.
"선생님! 항상 감사해요."
쇼핑백 속에는 참치 캔 한 박스가 들어있었다.
뭉클하고 따뜻한 마음을 안고 기분 좋게 집으로 갔다.

'오늘은 두부 잔뜩 넣고 참치 찌개 끓여야겠다.'
캔을 따다가 발견한 유통기한.

1998/09/25.

캔 뚜껑에 선명히 찍힌 날짜는 세 달도 더 지난 것이었다.
이럴 분이 아닌데...
난 한참을 지나서야 그 이유를 알게 되었다. 나의 학생 P씨는 유통기한이 있는지, 또 어떻게 보는 건지를 몰랐다는 것을.

최근 '유통기한 지난 식품을 아파트 경비원에 준 주민'이란 내용으로 TV 뉴스에서 다룬 적이 있었다. "어떻게 그럴 수 있냐?"며 비난의 목소리가 쇄도했다.

하지만 그 주민이 유통기한 지났다는 걸 알고 줬을까?

나의 학생 P씨 같은 분이 있다는 것을 사람들은 모를 것이다.

지금은 어디에 살고 계신지, 건강은 괜찮으신지...

누구보다 정도 많고 끈기 있게 공부했던, P씨가 그리운 날이다.

제2부 지금 여기, 이야기가 있는 하루

발자국 찍기

석촌호수

한 발짝 한 발짝 걸을 때마다 그리움이 묻어난다.

휴일이면 아버지, 어머니, 동생 때론 언니, 오빠와 이른 아침부터 석촌호수를 돌고 난 후 순두부 한 그릇씩 먹던 곳이다. (이땐, 내가 20 대니까 1980년대였다.) 아주머니가 순두부를 손수레에 싣고 와 사발면 비스무레한 용기에 한 그릇씩 팔았다. 따끈따끈한 순두부가 그 당시 500원 했던 걸로 기억한다. 다 먹고 나면 근처 가락시장으로 가서 일 주일치 먹을 생선과 과일, 채소 등을 사러 가는 게 일요일 아침 우리

집의 일과였다.

추억이란 덩어리가 사르르 녹아 그리움으로 퍼져나가는 곳이 바로 석촌호수인 것이다.

딸내미와 고향 같은 석촌호수를 아주 오랜만에 걸었다. 이다음에 딸 내미도 좋은 추억으로 기억했으면 하고 말이다. 젊은이 눈에는 아직도 마스크 꾹꾹 눌러쓰고 돌아다니는 나의 모습이 옛날 사람처럼 보였을 것이다. 젊은이들은 '젊음'을 무기 삼아 '코로나쯤이야' 하는 모습이 내 눈엔 비쳤으니까.

오늘은 딸아이가 추천한 송리단길 '*잇' 에서 멕시코 요리를 먹었다. 우리나라 구절판과 상추쌈, 베트남의 월남쌈 그리고 터키의 케밥이나 베트남 음식인 반세오 등을 좋아하는 걸 보니 나는 유독 싸 먹는 음식을 좋아하는 것 같다. 하나하나의 재료가 가지고 있는 맛의 특성도 좋지만 쌈에 온갖 재료를 넣어, 씹을수록 오묘한 맛을 세포 사이사이로 퍼지게 해서 좋고, 함께 어우러져 색의 조화를 만들어 내는 그 멋스러움도 좋다.

특히 엄마의 구절판 요리는 그 당시 압권이었다.

우리 때는 혜화동의 대학로가 최고였는데 요즘 MZ세대들의 거리인 송리단길을 처음 와봤다. 다들 예쁘고 생기발랄한 듯 했지만 그래도 코로나 후유증으로 거리의 풍경은 기가 많이 죽어 있는 듯 느껴져 그리 신나진 않았다. 하지만 딸과 함께 '생각의 전환' 놀이를 하며 걸어보았다.

"한적하니 좋네"
"감각이 살아있는 빌딩이 정말 많지?"
"오늘은 날씨도 한몫 하네."

벤치에 앉아 석촌호수의 윤슬을 바라보는 것도 예술이었다. 쉴 공간이 보이니 한결 기분이 좋아졌다. 마음도 느긋해진다. 골목골목 옛길을 좋아하는 나지만 석촌호수 둘레길은 나의 고향, 언제 걸어도 항상 그리움의 장소로 남는다.

윤슬이 유난히 돋보이는 날

나의 놀이터

서가 사이사이가 좋다.

도서관 근무할 때도 그렇고 지금도 그렇고
서가 사이사이가 참 좋다.
보물찾기 하듯 잘못 꽂힌 책 찾아내고
누군가 거꾸로 꽂아 놓은 책 바로잡아 꽂기도 하고
이용자가 못 찾는 책 있으면
망설임 없이 성큼성큼 사이사이로 걸어가
재빨리 찾아주기도 했던 곳.

한 달에 한 번
'장서 점검 중' 팻말을 붙여놓으면

도서관은 우리들의 놀이터가 된다.
음악을 배경 삼아 깔아놓고,
오디오는 최대 볼륨으로,
의사가 수술실을 들어가듯
우리는 목장갑 양손에 끼고
각자의 맡은 구역, 서가 사이사이로 들어간다.
노동요 덕분인지 사뭇 흥에 겨웠던 나.

찢어진 책을 발견하면
한 손엔 테이프를, 한 손엔 메스(가위)를 들고
심폐소생술을 시작한다.

성공적인 시술(?)을 끝내고 나면
뿌듯함과 함께 더욱 진지한 표정으로
'사다리 타기'에 몰입한다.

떡.튀.순(떡볶이, 튀김, 순대) 한 상 차리고
수다를 떨다 보면
이용자들을 위한 이벤트가 떠오르기도 한다.

작은 도서관이든
숲속의 도서관이든

어른들을 위한 놀이터가
곳곳에 마구마구 생겼으면 좋겠다.

함께 공유할 공간이 있다는 건
따뜻한 세상을 함께 만들겠다는
묵언의 약속이 아닐까

주말에 도서관을 방문했더니
1층 자유석뿐만 아니라 모자열람실
또 2층 열람실까지
앉을 자리 없이
많은 사람이 자리 잡고 있었다.
근심 걱정 없는 편안한 미소를 짓고 있으니 참 좋다.

예전에도 그랬지.
출근 후 도서관 문을 열고 들어서면
출입문 바닥에 질서 없이 놓여진 신문과 잡지들이 있다.
가지런히 제자리에 놓고 차 한 잔 하려고 자리에 앉으면
한 명 두 명 힘차게 문을 열고 들어온다.
어느새
열람실은 이용자들로 가득 차고, 수레 위에 반납 도서가 쌓이고,
이용자들이 보고 난 책이 한 권 두 권 포개질 때면
왠지 모르게 뿌듯했던 기억이 새록새록 떠오른다.

도서관이 나의 놀이터이듯

모두가 함께 공유하고 즐길 수 있는 놀이터가 되기를 바란다.

샘솟는 공간, 나의 놀이터에서

그림책 읽는 밤

그림책 읽는 밤이면 포근하게 잠이 들 수 있다

이번 주 읽은 책은 모 윌렘스 작가의 〈때문에〉이다.

'그림책 읽는 밤' 모임에서 함께 읽고 이야기를 나눌 도서이다.

'때문에'라는 말에는 부정만 있는 게 아니었다.

긍정과 부정, 둘 다 사용된다고 한다.

무엇 때문에, 누구 때문에,

누군가의 인생이 바뀌었다는 내용,

즉, 누군가에게 선한 영향력이 미쳤다는 이야기이다.

그림

난 누구 때문에 이렇게 배움과 할 일 찾기에 목말라하는 걸까

난 엄마 때문에 이렇게 예순이 넘은 나이에도

내 일을 찾는 것에 집중하는 것 같다.

"너희 세대는 결혼해서도 자기 일이 있어야 해."

"여자도 경제적 능력이 있어야 해."

말씀하셨던 엄마였으니 말이다.

경제적 능력은 모르겠으나 이십 대부터 예순이 넘은 지금도 스마트폰

강사로, 검정고시 강사로, '내 일'이 있어서 감사하게 생각하고 있다.

일하는 나를 응원하고 전적으로 도와주는 남편 때문에

어느 것 하나 놓치지 않고 여기까지 온 것 같다.

둘이 일을 하니 먼저 온 사람이 식사 준비를 하든,

어린아이들을 돌보든 했으니까 말이다.

그림책을 읽다 보면 뭉클한 한 줄 때문에,

숨은 그림 때문에,

저절로 고개가 끄덕여지게 되고,

의아함 때문에 빠져들게 되고,

또 동심으로 돌아가

해맑은 미소를 지을 수 있어 그림책이 참 좋다.

글로 일일이 표현하지 않아도 페이지마다 많은 이야기가 있다.

그림책이 좋기 때문에 '그림책 읽는 밤'이란 동아리에 합류하였다.
여덟 명의 회원들은 2주에 한 번씩 zoom으로 만나 함께 읽은 책에
관해 이야기를 나누고는 하는데 그야말로 소중한 수다의 시간이다.

혼자 읽는 것보다 여럿이 함께 읽으니 다양한 관점에 놀라고, 공감하
고, 읽은 책을 다시 읽게 만들고. 꼬리에 꼬리를 물어 그 작가의 다른
작품을 찾아 읽게 된다. 또 같은 주제의 책을 손에 쥐게 하는 마법 같
은 시간이 펼쳐진다.

읽을수록 그림책에 스며드는 요즘,
부러울 게 하나 없다.

딸내미가 어릴 때 읽었던 그림책 중 평생
소장하고 싶다며 정리하지 않고 꽁꽁 싸둔 책.

내일은
다시 꺼내 어루만져 줘야겠다.

만 보 걸어 도착하는 나의 아지트

사방이 뻥 뚫려 계절의 변화를 느낄 수 있는 곳.
온갖 이름 모를 풀들과 꽃.
친구하자며 날갯짓하는 오리들이 사는 곳.
생명 있는 모든 것들과 친구 삼아 걸으면
어느새 목표 지점까지 와 있다.

벤치가 있어 커피 한 잔 마시기 딱 좋은 곳.
이곳을
'나만의 카페로 명(命)하노라.'

자릿세 낼 필요도 없이
'내 자리야' 하고 앉으면 주인이 되는 곳이다

나의 아지트

흐르는 물을 바라보며 물멍 하기 좋고
단점이라 하면 미리 온 사람이 앉아 있을 땐
못 본 척 지나쳐야 한다는 거.
일 년이 넘는 코로나 상황에 큰 위안을 주는 곳이다.

계절마다 풍기는 멋이 달라
그 느낌을 고스란히 안고 갈 수 있다.
맘에 쏙 드는 나의 아지트.
집이 아닌 곳에 나만의 공간이 있다는 건 큰 행운이다.
이곳에선 너그러운 마음으로 나를 바라보게 된다.

걸어온 발자국을 보며 토닥토닥 등 두드려 주기도 하고,
현재의 나를 따뜻한 시선으로 바라볼 수 있고,
민감하게 다가온 일상을 자연스레 받아들일 수 있다.
이것이 '나만의 아지트'를 만들라고 권하는 이유이다.
오늘도 도봉산 자락이 보이는 카페에 도착했다.

인증샷 한 장 남기고, 숨 고르기 하고,
집에서 내려온 커피 한 잔이면 충분하다.

나의 브랜딩

매주 월요일
연금대학 프로그램에 참여하고 있다.
(연금대학은 어른들을 위한 성장 프로그램이다.)

이번 주는 '생각주간'이라 하여
'방학입니다!'를 대신해 권 대표가 붙인 표현이다.

'생각 주간'에 걸맞게 '나의 브랜딩 찾기'라는 미션이 주어졌다.

지난 시간 권대표의 브랜딩 수업을 들으며
나 또한 알다가도 모르는 '나다움'을 찾아보고 싶었다.

'나의 브랜딩'
좀 막막했다.

나는 누구일까?
나는 어떤 가치를 추구할까?
나는 무엇에 관심이 있나?

나다움을 찾아보기로 했지만
육십 대인 나도 이삼십 대 못지않게 고민에 빠지게 된다.

나의 청춘을 되돌아보고

또 현재를 느껴보며

나의 브랜딩 PT를 만들어 보았다.

주변을 꽃피우는 민들레 꽃씨,

나를 위한 꽃이 되고싶다.

민들레 꽃이 되리라

민들레 꽃씨에서

이젠 노란 민들레꽃 같은 존재가 되련다.

민들레 꽃씨는 바람에 퍼져나가
곳곳에 싹을 틔우며 예쁜 민들레가 된다.
지난 삼십 년을 민들레 꽃씨처럼 살지 않았나 싶다.

퇴직한 지금도 민들레 꽃씨 같은 역할에 즐거워하고
보람을 느끼지만 이젠 민들레꽃이 되고 싶다.
어디에 있으나
민들레꽃처럼 은은하게 존재하고 싶다.
'명주! 너 자신에 대해 고민하고
하고자 하는 일을 행동으로 보여줄 것'
스스로 말해본다.

하나하나 나열해본다.

- 문학 작품 속의 '그 곳'에 가 보기
- 전국의 사찰 다녀보기 (가급적 템플스테이도 해 볼 것)
- 캘리그라피 끝까지 배우기
- 반려 악기 연주에 도전하기
- 매일 만보 걷기를 생활화하기
- 소식하기
- 클래식 음악 자주 듣기
- 날마다 일기 쓰기
- 아침, 저녁 감사기도 드리기

지난주에 우리 연금대학 작가들은 (연금대학에서는 서로를 작가라 부른다.) 권우실 대표의 브랜딩에 관한 강의를 귀 쫑긋 세우며 들었다.
진지하게 메모하고, 또 여기저기 카메라를 들이대며 저장한다.

'행동만이 현실을 바꾼다'라는 PT자료가 한눈에 들어왔다.
이제는 하나하나 실천해 봐야겠다.
내가 좋아하는 것을
나를 의미 있게 만드는 것을.

　　"신. 난. 다
　　　할 일이 생겼어!!"

민들레는 민들레

민들레 꽃말, 행복과 감사

주민들을 대상으로 스마트폰 교육이 있는 날이다.

거여동 쪽이라 집에서 가기엔 좀 멀었다.

하지만

'작은도서관'이 주는 아늑함 때문에

스마트폰 교육을 신청하고 말았다.

삼십 분 일찍 도착하니 책 볼 여유가 생겼다.

'이럴 땐 그림책이 최고지.'

싹이 터도, 잎이 피어도,
꽃줄기가 쏘옥 올라와도
민들레는 민들레

혼자여도 민들레, 둘이어도 민들레
들판 가득 피어나도
민들레는 민들레

　　　　　　　　　　- 『민들레는 민들레』 본문 중에서

그림도
글도
참 예쁜 책이다.

얼마 전, 연금대학 수업 '나만의 브랜딩' 발표에서
민들레 같은 존재가 되겠다고 공식 선언했다.

'나다워지기'
'어디서나 나다움을 잃지 말자.'
『민들레는 민들레』 그림책은
'그림책 테라피(치유법)'로 많이 읽히고 있다고 한다.

"우리 삶 속에서 가장 평범한 것들이

가장 아름다울 수 있다는 사실을 말하고 있다."

- 2015년 볼로냐 라가치상 심사평 중에서

'작은 도서관' 하면 지금도 새로운 희망으로 다가온다.

작은 도서관은 아늑했고,

누구나 편히 들러 책 한 권 읽고 가기 좋았다.

자원봉사자분들은 친절하게 맞아 주었다.

SH 작은 도서관은 서울 곳곳에 있다.

대부분 아파트 단지 안에 자리 잡은,

작지만 알찬 도서관이다.

치아바타 빵을 즐길 준비

26여 년간 다니던 직장을 그만두었지만, 몸에 밴 '바쁨'은 몸이 기억한다. 집에서 느긋하게 시간을 보내는 것에 반항한다.
'움직여, 움직여야 해! 뭐라도 해봐!'
자꾸자꾸 신호를 보내오니 이것저것 기웃거리게 된다. 그래서 찾은 배움터가 집 가까이에 있는 '서울시 50+ 센터'였다. 이곳은 베이비붐 세대들에게 안성맞춤이었다. 사회공헌 참여 활동이나 인생 이모작을 준비할 수 있도록 다양한 프로그램이 있었다. 때마침 은퇴한 동생과 함께 '일주일에 하루는 배우는 것에 투자하자.'로 의견일치.

각자 관심 있는 강좌를 찾고, 그렇게 신청한 것이 월요일 오후에 두 강좌가 되었다. 한 강좌가 끝나면 차 한잔 할 수 있는 여유도 있었다.

두 번째 강좌 시작 전,
동생과 50+센터 옆 카페에서 차 한잔을 한다.

처음엔 머리를 식힐 겸
지금은 치아바타 빵과 커피를 즐기기 위해서.
내가 치아바타 빵을 찾기 시작한 것은

아마도 몇 년 전 어느 기사에선가
치아바타 빵을 언급한 이후였던 것 같다.

치아바타는 밀가루, 효모, 물, 소금을 사용해 만든 이탈리아 빵이다.
치아바타(ciabatta)는 이탈리아어로 슬리퍼를 뜻하는데,
기다랗고 넓적하고, 가운데가 푹 들어간 모양이
마치 슬리퍼 같기 때문이란다.

빵 사이에 우리가 아는 재료
그 무얼 넣어도 개성 있고 조화로운 맛을 아낌없이 만들어 낸다.
플레인 치아바타는 발사믹 드레싱에만 찍어 먹어도 맛있고,
감바스(Gambas)에 곁들여도 맛있다.

까다롭지 않은 치아바타.
치아바타를 사랑하는 이유다.

재연이 방에 봄꽃이 피었다.

봄꽃이 피다

  재연이 빈방은 여전히 암막 커튼이 내려진 상태이다. 오랜만에 미세먼지 없다하여 창문을 활짝 열어본다. 하얀 벚꽃 한 잎 한 잎 눈에 스며든다. 반사적으로 몸을 일으켜 카메라 렌즈를 들이댄다. 어제 하루 종일 내린 비에도 끄떡없는 벚꽃 잎들이 오늘따라 더 대견스러웠다.

'정신적 사랑, 삶의 아름다움'이라는 꽃말을 지닌 벚꽃
꽃말이 마음에 드는 하루다.

스무 살부터 거의 독립하다시피 떨어져 살게 된 아들. 대학 4년에 군대 2년 또 직장에서 해외 파견근무까지 10년 가까운 세월을 떨어져 살았다. 떨어져 사는 것에 적응되었다가도 뭔가 아쉽기도 했다가도 '다 큰 자식인데 뭐 어때.'라고 수시로 오락가락하는 감정의 소용돌이' 아들은 자연스럽게 받아들이는 거 같다.

일 년 가까이 지방 파견 근무하고 있는 아들
"이번 주도 대전에 있을 거야, 엄마."
조금 전 보내온 카톡 메시지다.

이모티콘과 함께 방금 찍은 벚꽃 사진을 꾹 눌러 전송하였다.
"완전 그림이네!"
"엄마 갬성이당. 담주엔 올라 갑니다~~요."

창밖에 핀 하얀 벚꽃도 반가워
한들한들 꽃잎이 끄덕인다.

진짜 가는 거니?

코로나 상황이지만 딸내미는 아일랜드로 어학연수를 간다. 아침부터 정신없던 지난주와는 다르게 천천히 여유 있게 인천공항 제1터미널에 도착하였다. 공항철도를 타고 오니 2시간 가까이 걸렸다. 28인치 캐리어 하나와 기내용 가방에 꾸역꾸역 넣어 둘이 들기도 벅차고 불안했던 일주일 전과는 달리 오늘은 마음이 좀 놓였다. 누군가의 도움 없이 캐리어를 혼자 들 정도여야 된다는 걸 몸소 겪고 나서 24인치 캐리어를 하나 더 구매했다.

오후 8시가 되어 가니 사람들이 출국 수속장으로 슬슬 모인다. 공항은 인산인해의 장면을 연출해야 제 맛인데 적막감이 슬픔을 동반한다. 코로나 양성 반응이 나와 되돌아왔던 지난주나 분위기는 마찬가지였다.

일주일 전
경민이와 함께 커다랗고 아주 무거운 캐리어를 끌고 공항버스를 탔다. 드문드문 앉을 수 있게 자리는 많이 비었다. 도착 후 PCR검사 결과가 나올 때까지 텅 비다시피한 공항 벤치에서 시간을 때우고 있었다. 결과가 나올 때가 되었는데도 연락이 없어 불안감이 밀려왔다.
결과는
"양성 나왔어요."

어이없고, 당황스럽고, 넋 나간 사람처럼 입만 반쯤 벌리고 서 있었던 것 같다. 부랴부랴 학교에 연락하고 비행기 연기하고, 함께 밥 먹으며 지낸 남편과 나, 아들까지 PCR 검사 받으러 보건소로 뛰어가고. 정신이 하나도 없었던 지난주의 이야기였다.

온갖 에피소드를 겪으며 드디어 오늘 아일랜드로 출국하는 것이다. 옆에서 지켜보니 공항 직원은 백신접종 서류에, 음성 확인서에, 아일랜드 대학에서 보낸 스쿨레터를 확인하고, 또 계속되는 질문에 딸내미는 대답하기 바쁘고. 코시국(코로나시국)이라 긴장감은 손발까지 찌릿찌릿했다. 드디어 수화물 스티커 붙이고 레일에 올라탄 캐리어를 보고 숨을 크게 들이쉴 수 있었다.

이번엔 진짜 가는 거니?

캐리어! 드디어 레일 위에

이른 아침 울리는 보이스톡
휴대폰을 얼른 귀에 갖다 댄다.
"엄마, 새로운 친구 많이 사귀었어.
내일은 '펍' 갈 거야."
"오늘은 홈맘하고 맥주 한잔 했징"
조금은 들뜬 목소리를 들으며
마음을 살짝 놓는다.

수화기 넘어 목소리를 들은 날이면 살며시 딸내미 방문을 열어본다.

딸내미가 생각날 때면 눈맞춤하는 마스코트. *곰돌이 푸우*
보고 있자니 오늘따라 더 귀엽고, 웃음이 새어나온다.

건강하게 지내며, 또 소중한 경험 쌓고 오기를 바란다.

비가 내리면 하고 싶은 일

비 오는 날, 평창에서 1

비가 내리고 나면 쭉쭉 뻗은 가로수와 앙증맞은 풀꽃들의 푸르름이
서른두 가지 색의 물감으로 표현이 안 된다. 팔레트에 이 색 저 색 섞
어봐도 눈으로 보는 푸르름을 만들어 낼 수가 없다.

어제, 그제

비와 함께 하루를 시작했다.

비가 내리면 하고 싶은 일이 많다는 걸 알았다.

기름 냄새 풍기며 김치전이나 깻잎전 부치기.

우산 쓰고 동네 천변 걷기.

이어폰 챙기고 창문 있는 카페에서 아메리카노 한 잔.

서점 점령하기.

비 오는 날 듣기 좋은 음악 검색해 보기.

블로그 챌린지로 '오늘 일기 쓰기 미션'에 참여한다.

글쓰기 주제로는 '비 오면 하고 싶은 일이 있다.',

하나하나에 너무 많은 의미를 부여하나?

비 오는 날, 평창에서 2

불금에 사케 한 잔

불금에 아들표 파스타와 사케 한 잔 호올짝 마셔본다.

아들과 딸내미 두 녀석, 아침부터 현관 앞에서

파스타 어쩌구~저쩌구~ 하더니만

퇴근 후 집에 오자마자

'재연이표' 파스타를 선 보였다.

"어머 넘 맛있잖아?"를 연발하며 포크에 면을 말기 바빴다.

두 녀석은 직장생활을 시작한 이후 한 주의 긴장감과 피로를 해소하기 위해 '불금'을 자주 외친다. 금요일마다 가족 톡 방에서는 안줏거리에 대한 열띤 토론이 펼쳐진다.

닭똥집을 소금구이로 할 것인가
입맛을 자극하는 매콤한 맛으로 할 것인가
조개탕은 또 어떠냐
열빙어 구이가 좋잖아?
와인 안주에는 까나페가 낫지

빛의 속도로 대화가 오고 간 적이 한두 번이 아니다.
남편과 나는 맥주 350㎖면 충분하지만
아들과 딸내미, 온 가족이 함께 할 때면
'소주가 원래 이렇게 달았니?'
잔 비우기 바쁘다.
재연이 표 안주가 한몫 한다.

나의 가을

어제는 쳇바퀴처럼 늘 왔다 갔다 다니던 길을 조금 벗어날 여유가
생겼다. 코끝을 살짝 스치는 바람, 어느새 내 목에는 니트로 짠 목도
리가 둘러져 있었다. 목에 닿는 포근함. 엄마의 손길이 느껴져 더 따
뜻했다.

처서가 지날 무렵이면, 엄마의 손엔 어김없이 손뜨개 바늘과 실이
무릎 위에, 손가락 사이사이에 걸쳐져 있었다.

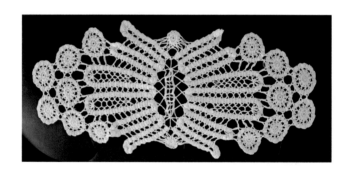

엄마의 체취가 느껴지는 '손뜨개'

가을을 '붉게, 노랗게 물들었다.'라고 한마디로 말하기엔 왠지 아쉽
고, 소중한 기억에 대한 배반감마저 든다.

학교를 마치고 온 언니, 오빠와 나, 동생은 엄마의 모델이 돼서 완
성도 안 된 조끼며 목도리며 벙어리 장갑을 대보며 까르르 웃곤 했었

다. 해마다 엄마가 밤을 새워 짜 놓으신 카디건과 목도리를 두르면 나의 가을은 비로소 시작되었다. 서늘한 바람이 부는 이맘때면 앞마당엔 어김없이 노란색의 국화꽃과 자줏빛 도는 소국이 제멋을 뽐낸다.
가을을 마음껏 즐기라고 한껏 꾸며 놓으신 엄마였으니깐.

예순이 넘은 나이가 되었지만
해마다 가을로 접어들 때면 엄마가 더 보고프다.

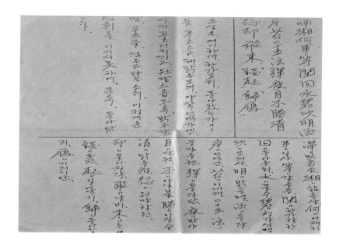

엄마의 체취가 느껴지는 '필체'

신발

누군가 옛 추억을 떠올리는 매개체가 무엇인지 내게 묻는다면,
나는 그중 '신발'을 말할 것이다.

"고맙다. 내 발이 되어 주어서,"

엄마는 새 신을 살 때마다 해지고 낡은 옛 신발에 고마움을 표현하
셨다. 일흔넷의 엄마는, 풀빛이 연하게 스며든 연둣빛 신으로 갈아 신
고 며칠 되지 않아 먼 길을 떠나셨다.

큰언니의 그림으로 탄생한 엄마의 신발

눈길이 머무는 곳에
늘 엄마의 체취를 찾으려는 나의 일상,
습관인가. 그리움인가.
마지막 인사를 하지 못한 아쉬운 서글픔 때문인가.

　벚꽃 잎이 날리는 날이면 "꽃비 온다!"라며 우리를 부르셨지
오월이면 앞마당에 활짝 핀 라일락 향기를 맡아 보라며...

　꽃이라도 생기면 정성껏 수반이나 항아리에 꽂아 멋진 꽃꽂이 작품
이 되었다. 재주 많은 엄마의 모습이 오늘도 어른거린다.
우리들 뒷바라지 하시느라 다 바친 청춘.
예순 살이 훌쩍 넘은 엄마는 붓글씨로 또 한 번 우리를 감탄케 하셨
다. 몇 년 뒤 세종문화회관을 빌려 전시회까지 여셨던 엄마니까.

'다들 잘 살고 있어 고맙구나.' 엄마의 목소리가 들린다.

지금처럼 SNS가 있었다면 블로그에, 인*타에 멋진 작품들을 올려
파워 인플루언서가 되지 않았을까.
'70세 유튜브 도전기', '갓생 살기'
타이틀로 말이다.

몇 밤을 새워가며 늘어놓아도 모자랄 엄마의 이야기들.
오늘 밤,
아흔여덟의 엄마가
손을 꼬옥 잡아 주신다

그리움이 몽글몽글 피어오르다

삼십 도를 웃도는 날, 메밀국수를

신호등 앞 메밀국수집

신호등 앞 그늘막에서 난, 두리번거렸다.

딱히 점심 먹을 곳을 찾으려는 건 아니었지만

이삼십 대 살던 동네라 반갑고

무엇이 얼마나 바뀌었나 궁금해서였다.

그러다

눈에 들어온 입간판.

'40년 장인의 손맛. 메밀 막국수'

간판은 분명 순댓국이었는데
순댓국 전문집에 웬 메밀국수인가

이 더운 날, 메밀국수의 유혹은 강도 9.5였다.
'*오늘은 너로 정했다!*'
　자극적이지 않고, 삼복더위에 딱이었다. 한 젓가락 크게 집어 입에
넣자 슴슴한 맛을 읊어댔던 백석 시인이 생각난다.

　자신의 고향인 평안도에서는 산꿩을 잡아 육수를 내고 겨우내 살얼
음 끼어있는 동치미 국물과 섞어내어 고추를 넣어 먹는 정겨운 모습에
감동하고 글로 엮은 시,

아, 이 반가운 것은 무엇인가
이 히수무레하고 부드럽고 슴슴한 것은 무엇인가.

- 백석 시인의 '국수' 중에서

쉼

빨래 삶는 날

조명주

꽉 쪼였던 발이 언제부턴가 편안해졌다.
'이상하네, 분명 신던 신발인데.'

옆지기의 따뜻한 말이 고마워
출근길 현관까지 따라나갔다.
"와카노?"
아주, 아~주 오랜만의 배웅이라 낯설어한다.

가스레인지 위에 빨래를 삶는다.
하얀 수건과 속옷들이 빨래 틀에서 살랑인다.

50+강좌를 신청했다.

강좌명은 '사진 일기 - 사진으로 쓰는 마음'이다.

찍은 사진에 여백이 느껴져 글의 제목을 '빨래 삶는 날'로 했더니...

강사는 고개만 갸웃갸웃거린다.

'왜 이런 제목을?'

의아해하는 표정을 지었다.

사진의 제목이 너무 생뚱맞단다.

뭐가 문제일까?

매일 바쁘게 뛰어다녔을 때는 발이 부어 신발도 쪼이고,

남편 배웅은 신혼 때 빼고는 잊은 지 오래다.

나도 출근하느라,

또

퇴근하면 아이들 돌보랴, 집안일 하랴

수건 삶는 건 엄두도 못 내며

'흰 빨래는 더 하얗게' 표백제에 의존하며 세탁기만 열심히 돌렸다.

요즘 와서야 천천히 여유를 갖고

화분에 물도 주고 라디오 듣다가 음악도 신청해 보고

빨래 삶을 여유도 생겼다.

빨래 삶는 날은 '쉼'이 있는 날.

오늘 하루도 소중했다.

하루의 색을 담아

책을 엮으며

책 한 권 손에 쥐게 되었습니다.

어떤 일을 하든 밀어주고 믿어주는 남편과
공감 가는 조언을 아끼지 않는 아들
톡톡 튀는 아이디어를 뿜어내는 딸에게
이 책을 바칩니다.

커다란 우산이 되어 주는 큰언니와 작은 언니
늘 책을 가까이 하는 모습에 자극을 받았습니다.
큰언니의 그림도 고맙습니다.

작가탄생 프로젝트를 함께 한 동생.
많은 힘이 되었습니다.

마지막으로
우리의 불꽃애기씨와 함안땍이라는 별칭의 소유자,
스타트폴리오 권우실 대표와 정태욱 부대표님!
'어른들도 성장해야 된다.'
'모든 국민은 작가다'
'기록이 이긴다.'라는 슬로건으로

작가탄생 프로젝트를
함께 할 수 있어서 행복했습니다.

아침마다 깨워주었던 'Let's 1111'
불꽃애기씨의 '토닥토닥'도
그리울 것입니다.
우리는 지금부터 시작입니다.

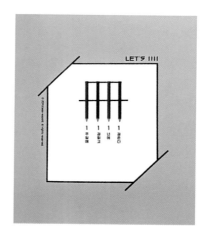

'1주일에 1권 읽고 1년에 1권 쓴다.'